科学実験対決漫画

実験対決
㊺ 毒と解毒の対決

내일은 실험왕 ㊺

Text Copyright © 2018 by Story a.
Illustrations Copyright © 2018 by Hong Jong-Hyun
Japanese translation Copyright © 2023 Asahi Shimbun Publications Inc.
All rights reserved.
Original Korean edition was published by Mirae N Co., Ltd.(I-seum)
Japanese translation rights was arranged with Mirae N Co., Ltd.(I-seum)
through VELDUP CO.,LTD.

科学実験対決漫画

実験対決
㊺ 毒と解毒の対決

文：ストーリーa.　絵：洪鐘賢

目次

第1話　ロケット、空を飛ぶ！　8
科学ポイント　毒ヘビの特ちょう、毒ヘビが持つ毒の種類
理科実験室①　実験対決豆知識　世の中にあるさまざまな毒　34

第2話　私たちの約束　36
科学ポイント　ヒスタミン、蚊、毒虫の種類
理科実験室②　世の中を変えた科学者
　　　　　　　アレクサンダー・フレミング　58
G博士の実験室1　万能解毒剤　59

第3話　心を動かす愛の妙薬　60
科学ポイント　蚊除け薬、植物の香りの役割
理科実験室③　対決の中の実験　虫除け薬作り　84
G博士の実験室2　古典的な毒の利用　87

第4話　副作用を防げ！　88
科学ポイント　ハチの種類、毒針、毒の両面性、薬理学
理科実験室④　生活の中の科学
　　　　　　　毒を持つ生き物たち　110

第5話 早く毒に打ち勝てますように　112
　科学ポイント　アナフィラキシー、毒の種類、解毒剤
理科実験室⑤ 理科室で実験
　　　　　　活性炭の粉で水を浄化する　138

第6話 バイバイ、ドイツチーム！
　　　　　バイバイ、セナ！　140
　科学ポイント　フィトンチッドの定義と役割
理科実験室⑥ 家で実験　クサノオウの観察　164

登場人物

ウジュ
所属：韓国代表実験クラブBチーム

観察内容・実験結果を検証するため、害虫の群れの中に飛び込むほど無謀で大胆な一面がある。
・些細なことからもアイデアを得て商売で一儲けしようと企む、機転が利く少年。

観察結果：ベスト16進出チームのメンバーとは信じられないほど、とても自由奔放で予測不能な性格の持ち主。

セナ
所属：ドイツ代表実験クラブ

観察内容・難易度の高い模型ロケットの実験をアタフタしながらも最後までうまくリードしたドイツチームのリーダー。
・危機に直面したチームメイトを助けるために必死になるほど、人情に厚い心の持ち主。

観察結果：クールな印象とは異なり、誰よりも自分のチームメイトを大事にしている。

マックス
所属：ドイツ代表実験クラブ

観察内容・対決の勝敗に関係なく、終了した実験の片づけを進んでするなど、責任感は誰よりも強い。
・優れた運動神経の持ち主で疲れ知らずだが、対決が終わった後、急に体の不調を訴える。

観察結果：嫉妬してもおかしくないのに、セナとウォンソの友情を応援する広い心を持っているように見える。

ユウト

所属：日本代表実験クラブ

観察内容・実験を通してオリジナリティあふれる神秘的な妙薬を作る魔術師のような少年。
・世の中で面倒なことが一番嫌いだが、なぜだか面倒なことに巻き込まれ続けてしまう。

観察結果：見かけはクールで完璧を追求しているように見えるが、どこか天然なところがある。

ウォンソ

所属：韓国代表実験クラブBチーム

観察内容・生まれてから一度も蚊に刺されたことがないという少年。
・ウジュのトラブルのせいでしばしば困難に直面したり、後始末をしたりしなければいけない状況に陥ったりする。

観察結果：これまでの長いつき合いで、セナの胸中をほかの誰よりもよく理解している。

その他の登場人物

❶ 何かを企むウジュを探し回るラニとジマン。
❷ 誰よりもお互いの気持ちを理解し合うチョロンとリズ。

第1話 ロケット、空を飛ぶ！

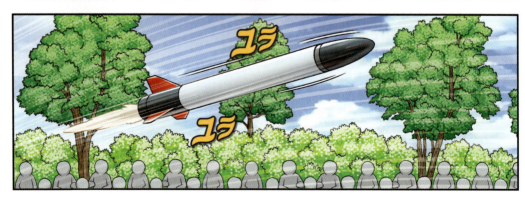

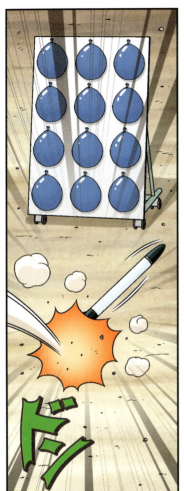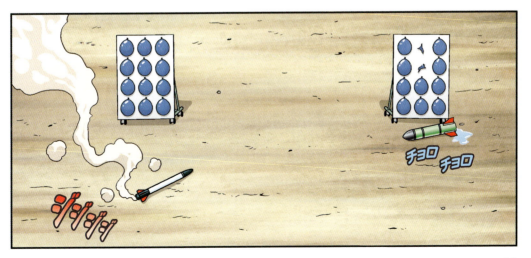

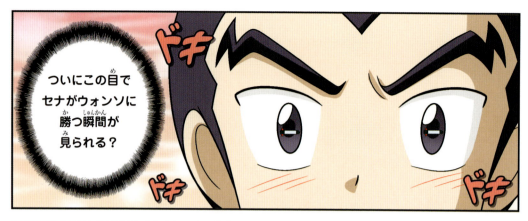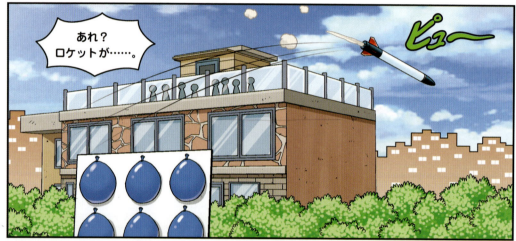

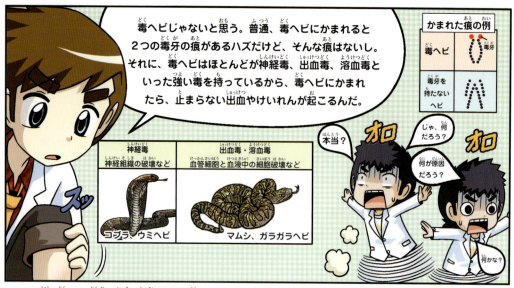

世の中にあるさまざまな毒

毒というのは、生き物の体に害になる物質を意味します。世の中にはさまざまな毒が存在し、それによって中毒症状や解毒方法も異なります。毒に関連するいろいろな情報を一緒に見てみましょう。

自然毒と人工毒

毒は大きく自然毒と人工毒に分けることができます。自然毒は自然に存在する植物や動物、微生物、鉱物が持つ毒をいいます。人工的に作られたのではなく、生物や鉱物ができたときから自然に持っているものです。一方、人工毒は人の力によって作られた毒をいいます。医薬品や殺虫剤、化学兵器などに活用するため、さまざまな化学物質を合成して作り出したものです。

自然毒のせいで食中毒にかかることがあるんだ。

フグ 内臓にテトロドトキシンという毒を持っている。

サリンを搭載した軍事用ミサイル
サリンは人工的に作られた毒。

作用の仕方による毒の区分

毒が生物の体でどうやって作用するのかによって、毒を神経毒、溶血毒、細胞毒などに分けることができます。神経毒は神経系に障害を起こす毒で、神経機能をまひさせます。溶血毒は血液中にある赤血球や白血球、血小板を破壊させる毒で、細胞毒は細胞を破壊したり機能や増殖を阻害したりして、病気にさせる毒です。この他に免疫系に作用し感染性疾患に対する免疫システムを破壊する毒や、腎臓や肝臓などの主要臓器に作用する毒、皮膚に作用する毒などがあります。

水銀 水銀は神経系に作用する神経毒の一種で、まひや言語障害などの症状が現れる水俣病の原因にもなった。

毒が引き起こした中毒

毒によって体に異常や機能障害が起きることを中毒といいます。主に毒性がある食べ物や薬物などを摂取したり接触したりすることで起き、食中毒、薬物中毒、農薬中毒、重金属中毒、ガス中毒などがあります。また、中毒は症状によって急性中毒と慢性中毒に分けられます。急性中毒は毒が体内で短時間に作用して急に病気になる現象を

中毒を引き起こす農薬　農薬に長期間さらされると慢性中毒の危険がある。

いい、慢性中毒は毒性がある物質を長い間使用して習慣的に生じた中毒をいいます。また、酒や麻薬などを過度に飲んだり、使用したりし、それなしでは耐えられない状態になることを依存症と呼びます。

解毒と方法

解毒とは体内に入った毒性の物質の作用をなくすことを意味します。解毒は毒性の物質の種類によってさまざまな方法があります。ゴム製の胃管を口から胃の中に入れて、温水などの注入と排出を繰り返して毒性の物質を除去する胃洗浄や、嘔吐中枢や胃の粘膜を刺激して食べたものを吐かせる催吐剤の服用、血液を体外に取り出し毒性の物質を取り除いて体内に戻す血液透析、薬用炭と呼ばれる活性炭を摂取して毒性物質を吸着させ体内吸収を阻止する方法などがあります。

活性炭カプセル　水とともに服用し、毒性の物質を吸着して体外に排出する。

血液透析　特殊なフィルターで血液内の毒性の物質をろ過する。

第2話 私たちの約束

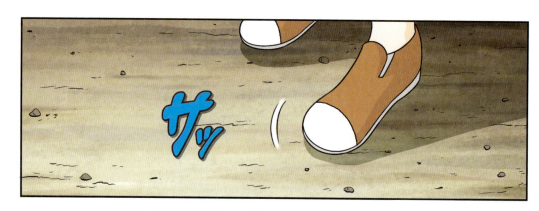

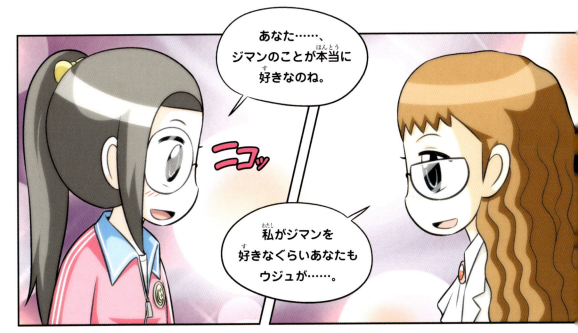

アレクサンダー・フレミング（Alexander Fleming）

アレクサンダー・フレミング（1881〜1955）イギリスの細菌学者でカビからペニシリンを抽出した。

アレクサンダー・フレミングはイギリス・スコットランドで生まれた細菌学者。細菌などの微生物を研究し、世界で初めてペニシリンを発見しました。ペニシリンというのは、青カビを培養して得られる抗生物質で、細菌の成長を阻止したり死滅させたりする性質があり、肺炎や敗血症などを治療するのに用いられます。

1928年、インフルエンザ・ウイルスを研究していたフレミングはブドウ球菌を培養していた皿で偶然おかしな点を発見しました。ブドウ球菌を培養していた皿が汚染され青カビがたくさん生えたのですが、青カビの周囲にあるブドウ球菌がきれいに溶けていたのです。これによって、青カビがブドウ球菌の増殖を阻止することを知ったフレミングは青カビを研究し始め、ついに青カビからブドウ球菌を死滅させる物質を抽出することに成功しました。この物質がまさに人類最初の抗生物質であるペニシリンです。

その後、ペニシリンは第2次世界大戦のときに初めて使われ、多くの軍人の命を救っただけでなく、民間人の多くの感染症患者をも救うことができました。フレミングはこのような功績が認められ、1945年にノーベル医学・生理学賞を受賞しました。人類は、青カビが他の細菌を死滅させるために作り出した一種の毒であるペニシリンを利用して、細菌性の病気の治療法を見つけることができました。

1950年代のペニシリン工場の様子　ペニシリンは1942年に実用化され、その後大量に製造されるようになった。

顕微鏡で見た青カビ　体は糸状の菌糸で、胞子は球状になっており、青緑色または灰褐色を帯びている。

博士の実験室 1

万能解毒剤

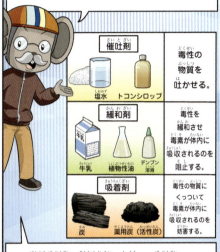

心を動かす
愛の妙薬

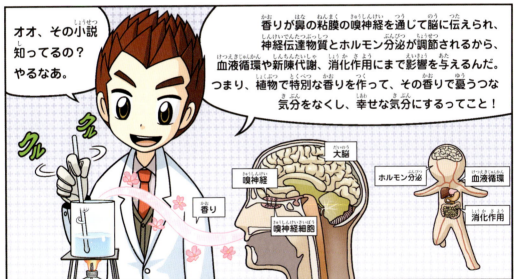

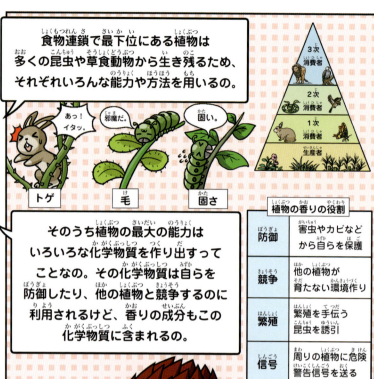

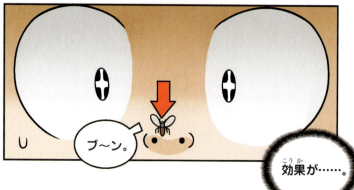

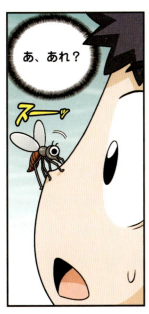
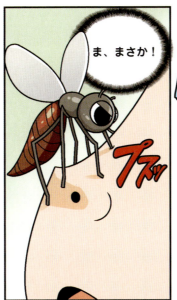

実験対決 理科実験室❸ 対決の中の実験

虫除け薬作り

	実験報告書
実験テーマ	植物から抽出したオイルを利用して虫除け薬を作り、植物が持つ成分の利用について調べてみましょう。
準備する物	❶シトロネラオイル　❷レモングラスオイル　❸スイートアーモンドオイル　❹エタノール　❺精製水　❻スプレーボトル　❼ガラス棒　❽ピペット　❾ビーカー 
実験予想	一部の虫が嫌がる植物から抽出したオイルを利用して、虫除け薬を作ることができるでしょう。
注意事項	❶ エタノールは揮発性が強いので、使用する際は火災が起きないよう気をつけましょう。 ❷ 完成した虫除け薬は絶対に皮膚や目にかからないように気をつけましょう。 ❸ 虫除け薬を使用した後、皮膚がかゆくなったり腫れたりしたら、すぐに使用を中止して、医師に相談してください。

植物から抽出したオイルは、アロマテラピーの専門店や百貨店、量販店などで購入することができます。

実験方法

❶ ビーカーに精製水20mlを入れます。

❷ ピペットを利用してビーカーにエタノール12mlを入れます。

❸ ピペットを利用してシトロネラオイル2mlを入れます。

❹ ピペットを利用してスイートアーモンドオイル1mlを入れます。

❺ ピペットを利用してレモングラスオイル1mlを入れます。

❻ ガラス棒で溶液をよくかき混ぜます。

→次のページに続く

実験対決　理科実験室❸　対決の中の実験

❼ ピペットを利用してスプレーボトルに溶液を入れます。

※防腐剤が入っていないので冷蔵庫に保管し、早めに使用してください。

❽ 靴やカバン、コートなどに虫除け薬をスプレーします。

実験結果　虫除け薬をスプレーした周辺に虫は近寄りにくくなります。

どうしてそうなるの？

植物は自分で移動できないので、害虫などの天敵から逃げることができません。そのため、鋭いトゲやひどいにおい、毒などといったいろいろな方法を利用して自分を守ります。実験で使用したシトロネラオイルはスリランカやミャンマーなどで育つシトロネラというイネ科の植物から抽出したオイルです。シトロネラは害虫が嫌がる特有の香りを放って自分を守ります。したがって、シトロネラオイルは害虫の虫除けとしてよく利用されています。また、シトロネラオイルには自律神経を整え、気持ちを落ちつかせる作用のある物質が入っています。

シトロネラ　シトロネラオイルはシトロネラの葉を乾燥させて作る。

©Shutterstock

蚊？心配するな〜。僕が解決してあげる。

博士の実験室 2

古典的な毒の利用

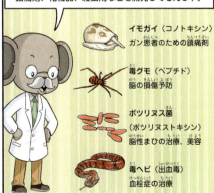

副作用を防げ！

日が暮れるころ、夕日が森の中に木の長い影を落としあっという間にあたりが暗くなった。

湿った土と植物の呼吸でその場所はさらに湿度が上がった。目の前が見えないほどの濃い霧が森を包み込んだ。

森は急に毒ヘビや毒虫に攻撃されてもまったくおかしくない不気味な雰囲気に包まれた……。

そのときだった！勇気を持った2人が失われたものを取り戻すために森の中に足を踏み入れたのだ。

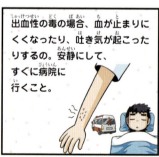

実験対決　理科実験室❹　生活の中の科学

毒を持つ生き物たち

　スズメバチ、クラゲ、ジャガイモの芽にはどんな共通点があるでしょうか？ それは毒を持っているという点です。私たちの周りを見渡すと、毒がある生き物を容易に見つけることができます。毒による被害を予防するためには毒を持つ生き物に関する正確な知識が必要です。毒虫や毒ヘビ、毒草など、私たちの周りの毒を持った生き物について見ていきましょう。

体は小さいが強い一撃を持つ毒虫

　毒虫は毒を持っていて、人体に害を及ぼす虫のことをいいます。毒虫にはハチやアリのように毒針を持つ昆虫もいます。この他にも昆虫ではないけれど、毒を持ったクモやムカデなどの節足動物も毒虫に含まれます。毒虫は人を刺したり噛んだりするなど、いろいろな被害を及ぼしますが、その中でも一部の毒虫は人の命を奪うほどの猛毒を持っています。

ツマアカスズメバチ
毒液にアレルギー反応による心臓まひを引き起こす成分が入っている。

牙から毒を吐く毒ヘビ

　毒牙を持っていて毒液を分泌するヘビを毒ヘビといいます。毒ヘビの毒牙には毒腺があり、何かを噛むと歯から毒液が漏れ出ます。毒ヘビは毒を獲物をまひさせるのに利用したり、消化を助ける消化液として利用したりもします。日本の代表的な毒ヘビに「マムシ毒」という猛毒を持ったマムシがいます。マムシに噛まれると、出血とともに嘔吐、呼吸困難などの症状が現れます。

マムシ　体長は40〜60cmで、頭は平たい三角形。

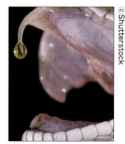
ガラガラヘビの毒牙
毒液が漏れ出ている。

毒草と毒キノコ

　毒草は根や実、葉などに毒が入っている植物をいいます。毒草を食べると下痢、まひ、幻覚などの中毒症状が現れ、毒草が体に触れると皮膚に炎症が起きることもあります。毒草にはチョウセンアサガオやドクゼリ、トリカブトなどがあり、身近な例ではジャガイモの芽にも嘔吐や腹痛を引き起こす毒が入っています。また、キノコの中にも毒を持つものがあります。代表的な毒キノコはテングタケ、ベニテングタケ、オオワライタケなどです。毒キノコを食べると、吐き気、興奮、下痢、ひどい場合は死に至るなど、種類によってさまざまな中毒症状が出ます。しかし、これらの毒は必ずしも被害だけを人に及ぼすわけではありません。病気を治療する薬として使われたりもします。例えば、ジギタリスという草には心臓の活動を強化させる強心配糖体が入っています。過度に使用すると頭痛、嘔吐、不整脈などを引き起こしますが、高血圧や心臓病の治療薬を作る材料になっています。

ドクゼリ　セリ科の草で、6〜8月に小さな白い花が咲き、全体に毒を持っている。

ジギタリス　ヨーロッパ原産の多年草で、葉を乾燥させて強心剤として活用する。

オオワライタケ　食べると幻覚、視覚障害、顔の神経がけいれんして笑って見えることがある。

TIP 中毒を引き起こす重金属

　生き物ではありませんが、毒性を持って環境を汚染し、人間に致命的な被害を及ぼす金属があります。それが、比重が4以上の金属、重金属です。重金属の種類には鉛、水銀、カドミウムなどがあり、金属を掘り出す鉱山や工場、廃棄物焼却施設などから河川などに流入します。このように流入した重金属は、大気や水質、土壌などを汚染し、空気や水、食品を通じて人体に入り、細胞組織を破壊したり、筋肉をまひさせたりするなど、さまざまな中毒症状を引き起こし、ひどい場合は死に至ることもあります。

私たちが暮らす環境を守ることが大切なんだ。

第5話

早く毒に打ち勝てますように

*アナフィラキシーショック：ひどいショックのような症状が現れる抗原抗体反応。

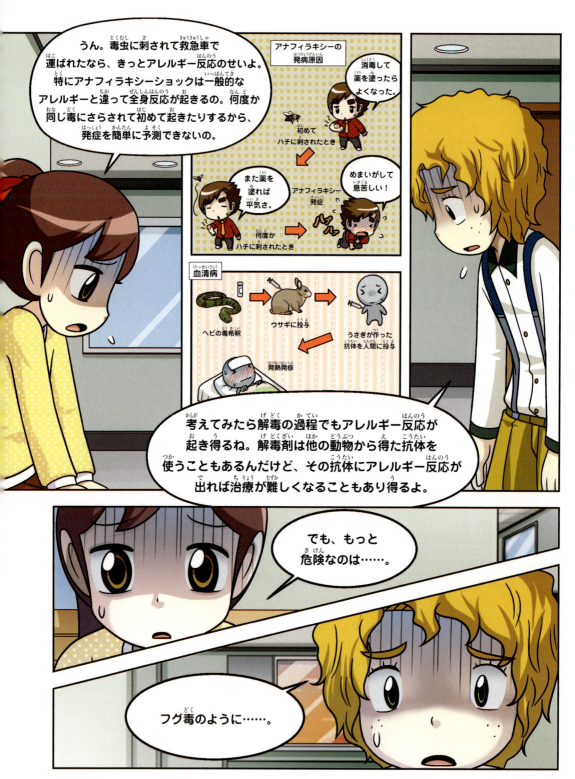

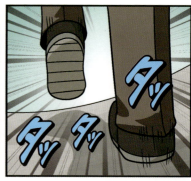

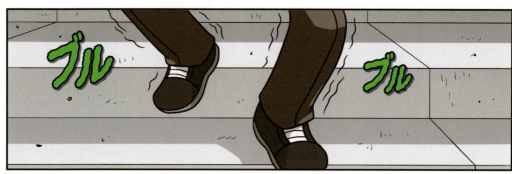

実験対決　理科実験室❺　理科室で実験

活性炭の粉で水を浄化する

実験報告書

実験テーマ
活性炭の粉を利用して水を浄化してみて、活性炭の解毒原理について調べてみましょう。

準備する物
❶スタンド　❷インク　❸水60ml　❹ビーカー2個
❺活性炭の粉　❻ろうと　❼使い捨てのスプーン　❽ガラス棒
❾ろ紙（複数枚）

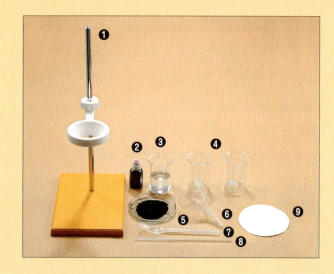

実験予想
活性炭の粉がインクの入った水を浄化し、ビーカーにきれいな水が得られるでしょう。

注意事項
❶インクの入った水と活性炭の粉がろうとからあふれないよう、インクの水をゆっくり注ぎます。
❷インクが皮膚や服にはねないよう気をつけましょう。
❸活性炭の粉を吸い込まないよう気をつけましょう。

活性炭はホームセンターや大型の雑貨店などで購入できます。

実験方法

❶ ビーカーに水60mlを入れ、インクを3、4滴垂らし、ガラス棒でかき混ぜます。
❷ ろ紙をセットしたろうとをスタンドに固定し、ビーカーをその下に置きます。ろうとはビーカーの壁につけます。
❸ 活性炭の粉をろうとの2分の1程度入れます。
❹ インクの水をガラス棒に伝わらせてろうとに流し入れます。
❺ ビーカーにこされた水の色を観察します。
❻ ろうとに新しいろ紙と活性炭の粉を入れ、ビーカーに入った水を再びろ過します。この過程を何度か繰り返します。
❼ 活性炭の粉を入れずに❶～❻の操作を繰り返したときと結果を比べます。

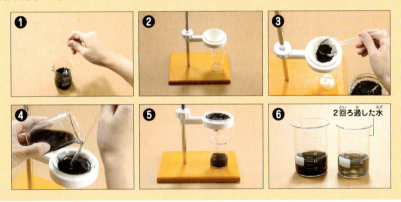

実験結果

インクの水が活性炭の粉にこされて透明になりました。ろ過する過程を繰り返すほどインクの水の透明度が上がりました。

どうしてそうなるの？

特別な処理により吸着力を強くした炭を活性炭と呼びます。活性炭は小さな穴が多く、他の物質をくっつける性質である吸着性を大変強く持っています。インクの入った水を活性炭でろ過すると、水中に混ざったインクの粒子が活性炭に吸着し、水が透明になるのです。この特徴を利用して活性炭は解毒剤にも使用されます。体内にある毒性の物質を吸着させ、体外に排出するのです。

顕微鏡で見た活性炭

バイバイ、ドイツチーム！
バイバイ、セナ！

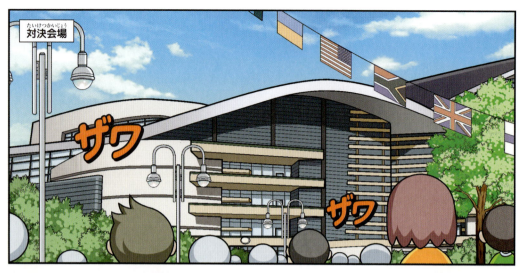

実験対決　理科実験室❻　家で実験

実験　クサノオウの観察

　クサノオウは春から初夏にかけて花を咲かせる、野原や道ばた、草むらなどで簡単に見つけることのできる越年草です。30〜80cmの高さに育ち、黄色い花を咲かせ、茎や葉に毒を持っています。茎や葉を切ると黄色い液が出ますが、この色が赤ん坊の大便の色と似ているため、韓国語では「赤ちゃんのウンチ草」と呼ばれるようになりました。

　クサノオウを観察しながら、植物が持つ毒について調べてみましょう。

準備する物　クサノオウ　、ビニール手袋　、白い紙　、カッター

❶ クサノオウの見た目の特ちょうを調べた後、道ばたや草むらでクサノオウを探します。

❷ ビニール手袋をはめた後、カッターを使ってクサノオウの茎を切ります。

❸ 切った部分から出てきた液体の色とにおい、茎の中の形などを観察します。

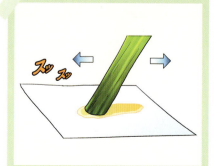

❹ クサノオウの液体を白い紙の上につけた後、色の変化を観察します。

注）クサノオウは有毒のため、実験は信頼できる大人と一緒に行いましょう。クサノオウの汁が皮膚にふれたり、目や口に入らないように気をつけ、必要に応じて医療機関を受診してください。

茎の形　　葉の形　　黄色 → 黄褐色　液体の色の変化

❺ クサノオウの茎の真ん中には大きな穴があり、その周りに複数の小さな穴があります。茎を切ったところからは酸っぱいにおいのする黄色い液体が出てきます。白い紙の上につけた黄色い液体は時間が経つと黄褐色に変わります。

どうしてそうなるの？

　クサノオウが属するケシ科の植物の多くは、茎を切ったとき液体が出てきます。この液体は毒性があり、昆虫を寄せつけない自己防御の手段として使われます。特にクサノオウの黄色い液体には、消化などの大事な生理作用を助けるアルカロイドなどの成分が含まれています。このような成分を利用して、民間でクサノオウを薬剤としても使用する考えかたもあります。漢方ではクサノオウの花と茎を「白屈菜」と呼び、皮膚炎などの治療に役立つと考えられています。

　しかし、クサノオウは毒性が強いため、現在ではあまり使われることはありません。特に内服すると危険で、使い過ぎると瞳が収縮したり、呼吸がまひしたり、ひどいと昏睡状態に陥ったりするなど、深刻な副作用が起きることがあります。このように、植物の毒性は適度に使えば薬になりますが、過度に使うと毒になることもあるので、不用意に食べたり、触れたりしてはいけません。

道ばたに咲くクサノオウの花

クサノオウの茎から出てくる黄色い液体

日本語版編集協力　東京大学サイエンスコミュニケーションサークルCAST

㊺ 毒と解毒の対決

2023年 8 月30日　第 1 刷発行
2024年12月20日　第 2 刷発行

著　者　文　ストーリー a. ／絵　洪鐘賢
発行者　片桐圭子
発行所　朝日新聞出版
　　　　〒104-8011
　　　　東京都中央区築地5-3-2
　　　　編集　生活・文化編集部
　　　　電話　03-5541-8833（編集）
　　　　　　　03-5540-7793（販売）

印刷所　株式会社リーブルテック
ISBN978-4-02-332228-8
定価はカバーに表示してあります

落丁・乱丁の場合は弊社業務部（03-5540-7800）へ
ご連絡ください。送料弊社負担にてお取り替えいたします。

Translation：HANA Press Inc.
Japanese Edition Producer：Satoshi Ikeda
Special Thanks：Kim Da-Eun / Lee Ah-Ram
　　　　　　　（Mirae N Co.,Ltd.）

サバイバルシリーズ ファンクラブ通信

おたより大募集

ゆうびんもメールもドシドシ！

ファンクラブ通信は、サバイバルの公式サイトでも読めるよ！

みんなからのお手紙、楽しみにしてるよ～♪

読者のみんなとの交流の場「ファンクラブ通信」は、クイズに答えたり、投稿コーナーに応募したりと盛りだくさん。「ファンクラブ通信」は、サバイバルシリーズ、対決シリーズ、ドクターエッグシリーズの新刊に、はさんであるよ。書店で本を買ったときに、探してみてね！

おたよりコーナー 1
ジオ編集長からの挑戦状

 を作ろう！

みんなが読んでみたい、サバイバルのテーマとその内容を教えてね。もしかしたら、次回作に採用されるかも！?

 冷蔵庫のサバイバル
何かが原因で、ジオたちが小さくなってしまい、知らぬ間に冷蔵庫の中に入れられてしまう。無事に出られるのか!?（9歳・女子）

おたよりコーナー 2
キミのイチオシは、どの本!?

サバイバル、応援メッセージ

キミが好きなサバイバル1冊と、その理由を教えてね。みんなからのアツ～い応援メッセージ、待ってるよ～！

 例 鳥のサバイバル
ジオとピピの関係性が、コミカルですごく好きです!! サバイバルシリーズは、鳥や人体など、いろいろな知識がついてすごくうれしいです。（10歳・男子）

おたよりコーナー 3
 ケイ館長のサバイバル美術館

上手い！

みんなが描いた似顔絵を、ケイが選んで美術館で紹介するよ。

例
© Han Hyun-Dong/Mirae N

みんなからのおたより、大募集！

❶ コーナー名とその内容
❷ 郵便番号　❸ 住所　❹ 名前　❺ 学年と年齢
❻ 電話番号　❼ 掲載時のペンネーム（本名でも可）
を書いて、右の宛先に送ってね。
掲載された人には、サバイバル特製オリジナルグッズをプレゼント！

● 郵送の場合
〒104-8011　朝日新聞出版　生活・文化編集部
サバイバルシリーズ ファンクラブ通信係

● メールの場合
junior@asahi.com

件名に「サバイバルシリーズ ファンクラブ通信」と書いてね。

ファンクラブ通信は、サバイバルの公式サイトでも見ることができるよ。

科学漫画サバイバル [検索]

※応募作品はお返ししません。
※お便りの内容は一部、編集部で改稿している場合がございます。

「科学漫画サバイバル」シリーズが読めるサイト

サバイバル図書館

お気に入りのタイトルを見つけよう！

いつでも「ためし読み」
「科学漫画サバイバル」シリーズのすべてのタイトルの第1章が読めます

期間限定で「まるごと読み」
サバイバルや他のシリーズが1冊まるごと読めます

最初は大人と一緒にアクセスしてね！

ウェブサイトはこちら！

※読むには、朝日IDとサバイバルメルマガ会員の登録が必要です（無料）

© Han Hyun-Dong /Mirae N